LA HISTORIA DE

EXPLICADA POR

**YIYUN
LI**

Gilgamesh

ILUSTRADA POR

**MARCO
LORENZETTI**

EDITORIAL ANAGRAMA

BARCELONA

Título de la edición original:
La storia di Gilgamesh
Yiyun Li
Scuola Holden - La Biblioteca di Repubblica-L'Espresso
© Gruppo Editoriale L'Espresso S.p.A.
   Roma, 2011

ILUSTRACIONES: Marco Lorenzetti
PROYECTO GRÁFICO Y MAQUETACIÓN: Mucca Design, PSone

Scuola Holden
ART DIRECTORS: Marta Trucco, Arianna Giorgia Bonazzi
EDITOR: Marta Trucco
PRODUCER: Lea Iandiorio

SAVE THE STORY: una serie ideada y dirigida por Alessandro Baricco

ISBN: 978-84-339-6124-2

Printed in China

LA HISTORIA DE

Gilgamesh

Uno

Ésta es la historia de un niño que tenía un poder extraordinario, aunque destructivo, y que llegó a ser un hombre sabio y fuerte. Como tú, ese niño tenía un nombre muy singular: Gilgamesh.

Nuestro protagonista vivió en otra época y, probablemente, en un lugar que no se parece mucho al tuyo y el mío. Gilgamesh vivió hace cuatro mil años, o tal vez hace ocho mil, y por eso esta historia parece vieja, antigua incluso. Vivió en una ciudad llamada Uruk; si la buscas en un mapa, verás que se encuentra en Irak, un país con muchas historias interminables. Pero si crees que la historia de Gilgamesh es antigua y extraña, yo puedo asegurarte que no lo es. Sigue leyendo y verás que esta historia se parece a la de tus padres y tus abuelos, a la de tus tías y tus tíos, o a la de tu profesor preferido. Un día, tú también, cuando seas un adulto sabio y fuerte, recordarás la historia de Gilgamesh y te darás cuenta de que no es muy distinta de la tuya o la de tu mejor amigo, y es posible que entonces quieras contársela a tus hijos, como lo hago yo ahora.

Así pues, aquí empezamos.

Dos

En Uruk, una de las grandes ciudades de la Antigüedad, vivía un joven rey llamado Gilgamesh. Su padre era el rey Lugalbanda, y su madre la diosa Ninsun, y por eso por las venas de Gilgamesh corría sangre divina. Dado que era un niño especial (pero ¿qué niño no lo es?, podrás preguntar, y es muy cierto que todos los niños lo son, como tú y tus amigos), Gilgamesh era inteligente y guapo, y de constitución fuerte; en suma, un niño perfecto en opinión de sus padres.

El hogar es, para todos los niños, el primer mundo que conocen, donde cada rincón es un lugar en el que buscar protección y comodidad. ¿Has visto alguna vez a un niño explorando el mismo baúl de los juguetes con renovado interés todos los días? Si lo hace es porque para él, o para ella, los juguetes no envejecen, y con cada nuevo día pasan a formar parte de un juego nuevo. Claro que, a veces, a la hora de jugar no todo sale bien. Un niño tira su robot preferido hasta el otro lado de la habitación, una niña hace pedazos su princesa de papel preferida. Eso no significa que no quieran sus cosas. El ego de un niño (y si no conoces la palabra ego, te diré que viene del latín, y que quiere decir «yo»), la percepción que tiene de sí mismo, crece a medida que crece su cuerpo. Sin embargo, a diferencia del cuerpo, el ego a veces puede crecer hasta convertirse en algo demasiado grande. Un ego, si no se controla bien, puede ensancharse y llegar a ser un monstruo muy dañino. Suele ocurrir que la mente de un niño no tenga experiencia suficiente para saber cuándo su ego ha sobrepasado todos los límites y le hace daño a él y a los demás. (Te contaré un secreto: también hay adultos que no saben controlar su ego.)

Y eso fue lo que le ocurrió a Gilgamesh. Cuando era pequeño, su cuarto de los juguetes era toda la ciudad de Uruk, y la ciudad fue su aula cuando él empezó a crecer, y se convirtió en el mundo que Gilgamesh gobernaba cuando ocupó el trono siendo todavía muy joven. Para él, Uruk era un lugar maravilloso. Recorría la ciudad con la cabeza alta y todos lo reconocían y lo trataban con una mezcla de respeto y temor. Las casas que flanqueaban las calles le abrían sus puertas porque eran propiedad del rey, como las flores que se abrían delante de ellas, los pájaros que anidaban bajo los techos y los hombres y mujeres que vivían en esas casas. Gilgamesh amaba sus posesiones, pero como suele pasar con los niños malcriados, de vez en cuando sentía en el corazón algo difícil de controlar, parecido a la rebeldía, algo que lo hacía desear más y más y más. Pero ¿más qué? Gilgamesh no lo sabía, y carecía de palabras para pedir eso que le faltaba. Así, furioso y confundido, se enrabietaba y daba puntapiés o atropellaba al primero que se le cruzaba en el camino. Peor aún, les quitaba a los padres los niños pequeños y jugaba con ellos maltratándolos, igual que un niño puede hacer con sus robots de juguete. Y si bien hacía daño a los niños,

los llantos y los gritos sólo conseguían que Gilgamesh se volviese más atrevido y más cruel, y así fue como empezó a quitar a las madres sus hijas pequeñas; después se las llevaba a su casa y las destrozaba como si fueran unas pobres e indefensas muñecas de papel.

Los habitantes de Uruk, aterrorizados por la tiranía de Gilgamesh y sin atreverse a plantarle cara personalmente, dirigieron sus plegarias a los dioses: «Padre celestial, te rogamos que oigas nuestra aflicción. Gilgamesh es un rey joven y brillante, pero no sabe poner límites a su poder. ¡Por favor, ayúdanos y líbranos de este dolor!»

Anu, el rey de todos los dioses, escuchó los ruegos, y se le ocurrió un plan. Esa noche Gilgamesh tuvo un sueño extraño; al día siguiente fue a ver a su madre, la diosa Ninsun.

«Madre», dijo. «Anoche tuve un sueño. Una estrella luminosa caía del cielo sobre nuestra ciudad y se convertía en una roca sólida. Yo intenté levantarla, pero pesaba demasiado. Quise dejarla donde había caído, pero la roca parecía llamarme por mi nombre y ya no pude dejarla sola. En el sueño, levantaba la vista y te veía en el cielo, y tú sonreías y decías que la roca era mi doble, mi otra mitad.»

Cuando Gilgamesh terminó de contar el sueño, la diosa Nun, que era una madre sabia y cariñosa, sonrió. «Hijo, la roca de tu sueño, la roca que te enviaba el cielo, representa a alguien que se acerca a ti como un verdadero amigo.»

«¿Amigo?», preguntó Gilgamesh, al que nunca se le había ocurrido pensar que necesitaba un amigo. Él era el soberano, y tenía ancianos que lo aconsejaban y guerreros que lo defendían; en palacio tenía cocineros y criadas y siervos que cuidaban de él, y músicos y cantantes que lo entretenían cuando estaba cansado. «¿Para qué sirve un amigo?»

«Un amigo de verdad», dijo Ninsun, «comparte tus alegrías, tu felicidad, y te da ánimos cuando estás triste. Te ayuda a aclararte cuando te sientes indeciso y te protege cuando los peligros te sorprenden sin que estés preparado para hacerles frente. Un verdadero amigo es un compañero del alma.»

Gilgamesh abrió bien los ojos. «Madre, espero ansioso la llegada de ese amigo. Ojalá venga pronto.»

Tres

Anu, el rey de todos los dioses, decidido a ayudar al pueblo de Uruk, habló con Aruru, la diosa de la creación:

«Te ruego que crees otra criatura como Gilgamesh, que sea tan fuerte y valerosa y osada como él. Y haz que se encuentren en la tierra.»

Aruru, la diosa que había creado a los seres humanos con tierra, comprendió lo que tenía que hacer. Como un panadero habilidoso, se mojó los dedos y recogió de la tierra la mejor arcilla. Primero la amasó, y luego modeló con ella una figura de sexo masculino a la que dio un cuerpo fuerte como el de Gilgamesh y un espíritu igual de valiente. Lo llamó Enkidu; después lo abandonó en las tierras vírgenes, dejándolo huérfano.

Así empezó la vida de Enkidu. Como a un animal salvaje, el largo pelo le cubría el cuerpo desnudo. Vivía errando por la pradera y compartía los pozos de agua con las gacelas. No sabía que existían otras personas que vivían en ciudades, personas que usaban ropa y se alimentaban de comida cocinada.

Un día, un cazador vio a Enkidu junto a un abrevadero y su aspecto lo asustó. Durante los días que siguieron, el cazador volvió a verlo, tras lo cual regresó a su casa a hablar con su padre. «Una criatura salvaje», dijo el cazador. «¡El hombre más fuerte que he visto jamás! Rellena los pozos que cavo y libera a los animales que caen en mis trampas. ¿Qué hago? Es demasiado fuerte y no me atrevo a luchar con él, pero sin los animales no puedo ganarme el sustento.»

Y el padre del cazador dijo: «He oído decir que Gilgamesh, el rey de Uruk, es el hombre más fuerte del mundo. ¿Por qué no vas a verlo y le cuentas lo que has visto? Dile que has encontrado a un hombre tan fuerte como él. Así verás si puede hacer algo para ayudarte.»

Así pues, el cazador viajó a Uruk y le habló a Gilgamesh del salvaje que vagaba por la pradera con los animales. Por su parte, Gilgamesh le habló de Ishtar, la diosa del amor y de los nacimientos, y de un grupo de sacerdotisas que vivían en el templo de la diosa y le dedicaban su vida. Entre ellas había una mujer llamada Shamhat, la persona más indicada para ayudar al cazador a domesticar al salvaje.

El cazador y Shamhat partieron hacia la jungla y esperaron a Enkidu tres días, junto al abrevadero. La mañana del tercer día apareció un salvaje acompañado de gacelas. Cuando Shamhat lo vio, no pudo evitar admirar sus fuertes músculos y sus temibles ojos.

Ahora bien, no olvides que Enkidu sólo había vivido en la jungla y que siempre había creído que formaba parte del reino animal. Cuando miró a Shamhat, Enkidu no vio una mujer, sino una criatura extraña y hermosa sentada en la hierba, y se sobresaltó. Se acercó a ella con cuidado y la olisqueó, pero Shamhat le pareció inofensiva y ella fue tierna y amable con él, y Enkidu se dio cuenta de que no corría peligro.

Cuando las gacelas terminaron de beber y se alejaron, esta vez Enkidu no las siguió. Se quedó con Shamhat; pasearon cogidos de la mano y se besaron como hacen los enamorados. Al final del séptimo día, Enkidu se acordó de sus compañeros, los animales, y se dirigió al abrevadero. Cuál no sería su sorpresa al ver que las gacelas lo miraban y huían a la carrera. Enkidu intentó darles alcance —al fin y al cabo eran sus amigas—, pero ya no podía correr como un animal salvaje.

Enkidu se volvió y miró a Shamhat, que lo esperaba como una amante. Vio también cómo huían los animales, que ya no confiaban en él. Y en ese momento sintió que ocurría algo extraño: la mente se le abrió y todo le resultó más claro que nunca. Porque supo que no era un animal sino un ser humano.

Enkidu se sentó a los pies de Shamhat. Cuando ella le habló, él se dio cuenta, sin sorprenderse pero con alegría, de que entendía todo lo que la sacerdotisa decía, igual que había entendido a sus amigos animales. «Enkidu...», dijo Shamhat. «Te llamas Enkidu y eres un hombre fuerte, creado por una diosa. ¿Por qué quieres pasarte la vida vagando con animales? Déjame que te lleve a Uruk, una ciudad con grandes murallas, y que te enseñe el templo de Ishtar, de donde yo vengo. Deja que te presente a Gilgamesh, el rey de Uruk.»

Al oír el nombre de Gilgamesh, a Enkidu le dio un vuelco el corazón, pues sintió algo completamente nuevo, una sensación de vacío que no se parecía al hambre ni a la sed, que se podían saciar fácilmente comiendo y bebiendo. Ahora que era un ser humano, sentía en el corazón un vacío que ni siquiera la compañía de Shamhat podía llenar. «¿Quién es Gilgamesh?», preguntó.

«El hombre con más fuerza del mundo», dijo Shamhat.

Pero ¿cómo podía Gilgamesh ser el hombre más fuerte del mundo cuando el propio Enkidu se sentía tan fuerte e indestructible?

«Llévame a ver a Gilgamesh», dijo Enkidu, alzando la voz. «Quiero desafiarlo. Quiero vencerlo. Le demostraré que yo, Enkidu, soy el más fuerte del mundo.»

Shamhat se dispuso a preparar a Enkidu para el viaje, y lo lavó, le cortó el pelo y lo vistió con una túnica limpia. De camino a Uruk se encontraron con un pastor. «Vaya, qué hombre más fuerte», dijo el pastor, y le ofreció a Enkidu el mejor pan y la mejor cerveza que tenía. «Os parecéis al rey Gilgamesh.»

Enkidu comió el pan y bebió la cerveza. Era la primera vez que comía algo que no era hierba y que bebía algo que no era agua del estanque, y le asombró lo rápido que había pasado a formar parte del mundo al que realmente pertenecía.

Enkidu y Shamhat reanudaron el viaje, y cuando llegaron a Uruk fueron muchas las personas que se detuvieron en la calle para admirar a Enkidu. «Mirad ese hombre tan fuerte», se decían unas a otras. «Se parece a Gilgamesh, aunque es un poco más bajo que nuestro rey.»

Enkidu, al oír esas palabras, gritó furioso: «¡Soy más fuerte que Gilgamesh! Traédmelo y os demostraré que soy el más fuerte del mundo.»

Y justo en ese momento alguien se le acercó y no hizo falta que le dijeran que ese hombre era Gilgamesh. Los dos se miraron, y después, sin decir una palabra, empezaron a luchar; pelearon con unos brazos y unas piernas que parecían rocas, intentaron inmovilizarse mutuamente, sus cuerpos tambaleantes intimidaban a los que miraban la pelea, y los aullidos y jadeos de Enkidu y Gilgamesh recordaban a la gente los toros salvajes. Finalmente, Gilgamesh consiguió tirar a Enkidu al suelo e inmovilizarlo, pero la victoria no hizo nacer en él más deseos de dominar o herir a su contrincante. Antes bien, sintió que la furia lo abandonaba y que en su corazón tenía lugar algo nuevo y extraño a la vez. Así, liberó a Enkidu, que lo

miró y dijo: «Gilgamesh, eres el hombre más fuerte del mundo.»

Gilgamesh miró a Enkidu y supo que se lo habían enviado los dioses. «He estado esperándote», dijo, y le contó el sueño de la roca que caía del cielo y lo que Ninsun, su madre, le había dicho sobre la amistad. Por primera vez en la vida, ambos encontraban un amigo, y se abrazaron convencidos de que si unían sus fuerzas, nada los separaría jamás.

Cuatro

Como todos los hombres jóvenes que sueñan con dejar la casa paterna y labrarse una reputación, Gilgamesh, a pesar de la nueva amistad que lo unía a Enkidu, y pese a ser un rey fuerte y venerado en la gran ciudad amurallada de Uruk, estaba cada vez más inquieto a medida que pasaba el tiempo.

«¿Has oído hablar de Humbaba, el monstruo que vigila el Bosque de los Cedros?», le dijo un día Gilgamesh a Enkidu. «Me han dicho que es un monstruo feroz y que ningún ser humano ha podido con él. Vayamos a buscarlo. Lo mataremos y nos haremos famosos.»

Enkidu suspiró y los ojos se le llenaron de lágrimas. «Querido amigo», dijo. «Somos muy felices aquí en Uruk, el lugar que siempre ha sido tu ciudad y que también ha llegado a ser mi casa. ¿Por qué quieres ir al Bosque de los Cedros? El bosque es un lugar oscuro que no termina nunca, y nadie se atreve a pisarlo.»

Gilgamesh rió. «¡Todos los bosques han de tener

un final! Tú y yo seremos los primeros en entrar en él, y vamos a conquistarlo.»

«Pero ¿sabías que fueron los dioses quienes encomendaron al monstruo Humbaba que vigilase el bosque? ¿Cómo puede un mortal enfrentarse a un monstruo feroz cuyo poder emana de los dioses?», dijo Enkidu.

«Vaya, Enkidu, ¿acaso hablas como un cobarde que en la vida sólo quiere comodidad y seguridad?», preguntó. «Tú y yo no somos dioses. Y, como todos los mortales, un día nos iremos de este mundo. Eso es algo contra lo que nadie puede hacer nada. Entonces, ¿por qué tener miedo? ¿Por qué vamos a dejar que la muerte nos intimide? Mi mayor ilusión es esta aventura, vengas o no vengas conmigo. Me adentraré en el bosque prohibido y mataré a Humbaba con mis propias manos. Después todos me recordarán como un héroe y la fama siempre acompañará a mi nombre.»

Cuando Gilgamesh terminó su discurso, mandó reunir al pueblo de Uruk. «Ancianos de la gran Uruk, mi ciudad, os ruego que recéis por mí. He decidido ir al Bosque de los Cedros y labrarme una reputación. Entraré en el bosque prohibido, talaré los árboles y mataré al feroz Humbaba, algo que hasta ahora no ha hecho nadie», dijo Gilgamesh desde el trono.

«Hombres jóvenes de Uruk, mi ciudad, os ruego que

me escuchéis. Sé que comprenderéis mi ambición. Mi mayor ilusión es ir al Bosque de los Cedros y hacerme un nombre. Os ruego que recéis para que regrese sano y salvo, y que me una a vosotros para celebrar mi victoria.»

Las palabras de Gilgamesh entristecieron a Enkidu, que, dirigiéndose a los ancianos, dijo: «Por favor, no permitáis que el rey haga ese peligroso viaje. Fueron los dioses quienes encomendaron al monstruo Humbaba que vigilase el Bosque de los Cedros. Nadie debería desafiarlo, ni siquiera Gilgamesh, el más poderoso del mundo.»

«Es verdad», dijeron los ancianos. «Gilgamesh, eres joven y puedes dejarte llevar fácilmente por tu pasión y tu ambición. ¿Por qué quieres darte el gusto de emprender un viaje tan peligroso cuando aún tienes que crecer mucho y, además, cargas con la responsabilidad de gobernar un reino?»

Ahora, mi querido lector, mi querida lectora, aquí hay algo que puedes saber o no. Muchas veces en la vida los demás tienen cosas sabias que decirnos, pero saber escuchar requiere una sabiduría nada común. Y esa sabiduría no pueden dárnosla los demás como un regalo, hay que adquirirla con la propia experiencia.

Gilgamesh, que era joven, aún no poseía esa sabiduría y, sin hacer caso de las preocupaciones de los ancianos, se volvió hacia Enkidu y dijo: «Amigo, ¿vas a quedarte escondido en Uruk cuando yo me embarque en esta aventura, o estás dispuesto a acompañarme?»

Enkidu permaneció un momento sin decir nada y después, muy serio, asintió con la cabeza dando a entender que estaba dispuesto a acompañar a Gilgamesh. Los ancianos, viendo que ya nada podía detener al rey, le aconsejaron: «Gilgamesh, aunque seas un joven fuerte, no confíes sólo en tu fuerza. Debes saber que un amigo verdadero hará por ti más de lo que eres capaz de imaginar. Enkidu ha crecido en tierras vírgenes, deja que él sea tu guía, ya que conoce mejor los peligros, y que te ayude a regresar sano y salvo.» Y los ancianos dijeron a Enkidu: «Enkidu, a ti confiamos nuestro rey. Por favor, tráelo de vuelta a Uruk, donde siempre estará a salvo.»

Equipados ahora con armas hechas a propósito para el viaje –hachas, cuchillos y armaduras, una carga de seiscientas libras para cada uno–, Gilgamesh hizo que Enkidu lo acompañara al templo para despedirse de su madre, la diosa Ninsun. «Madre», dijo Gilgamesh. «Os ruego que me comprendáis. Soy joven y debo recorrer caminos que hasta ahora no he transitado; tengo que ir al Bosque de los Cedros y matar a Humbaba con mis propias manos.»

Ninsun escuchó a Gilgamesh con profundo pesar y se sintió como se hubiera sentido cualquier madre al ver a su hijo insatisfecho con el hogar seguro y acogedor que le había dado. Ninsun entró en su habitación y rezó a Shamash, el dios-sol: «Señor, habéis dado a Gilgamesh un cuerpo fuerte, un espíritu valeroso, una hermosa ciudad que gobernar y un amigo fiel que le hará compañía. ¿Por qué no le habéis dado la sabiduría que le permita vivir con lo que ya tiene? ¿Por qué le habéis dado un corazón inquieto que anhela fama y aventuras? Gilgamesh se ha propuesto viajar al Bosque de los Cedros y matar a Humbaba. Ni siquiera yo, que soy una diosa, puedo garantizar que volverá sano y salvo; como madre, se me parte el alma al pensar en todo el sufrimiento que pueda causarle su caprichosa decisión. Os lo ruego, señor, bendecidlo y protegedlo.»

Cuando Ninsun terminó su oración, salió de su cuarto y le dijo a Enkidu: «Querido, tú naciste en tierras vírgenes y nunca has conocido a tus padres, pero hoy quiero adoptarte como hijo. A partir de ahora, Gilgamesh y tú, además de ser amigos, seréis hermanos. Por favor, ayuda a tu hermano Gilgamesh para que regrese a Uruk sano y salvo.»

A Enkidu se le llenaron los ojos de lágrimas. Era un huérfano que nunca había conocido el cariño de una madre, pero ahora ya no se sentía un niño abandonado. Tenía una madre y un hermano. Volviéndose hacia Gilgamesh, dijo: «Mi amigo, mi hermano, permite que te acompañe. Yo iré delante, pues sé adónde nos dirigimos.»

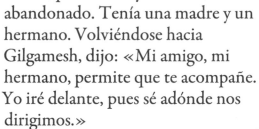

Cinco

Gilgamesh y Enkidu emprendieron el viaje. Puesto que los dos tenían poderes sobrenaturales, pudieron recorrer en sólo tres días la distancia que una persona corriente habría tardado seis semanas en recorrer. Cada cien leguas, comían y descansaban; cada trescientas leguas, acampaban para pasar la noche.

El primer día, mientras el sol se ponía, cavaron un pozo en el campamento y llenaron las cantimploras con agua fresca. Gilgamesh trepó hasta la cima de la montaña y, a manera de ofrenda, derramó harina en el suelo. «Montaña», dijo, «por favor, haz que esta noche tenga un sueño agradable.» Después, Enkidu trazó un círculo en el suelo y en sus oraciones pidió recibir una señal. Y Gilgamesh se sentó en el centro del círculo y se quedó dormido.

En mitad de la noche, Gilgamesh despertó sobresaltado. «Enkidu, ¿me has despertado tú? ¿Me ha tocado algo?»

«No, Gilgamesh», dijo Enkidu.

Gilgamesh reflexionó un momento y dijo: «Debo

de haber tenido una pesadilla. Soñé que caminábamos por un desfiladero y que una montaña enorme nos caía encima. ¿Es una mala señal?»

Enkidu dijo: «No, Gilgamesh. Creo que es un sueño muy bueno. La montaña debe de ser Humbaba, y el sueño, que podremos con él y lo mataremos.»

Las palabras de Enkidu reconfortaron a Gilgamesh, que volvió a quedarse dormido.

Al día siguiente reanudaron el viaje, deteniéndose cada cien leguas para comer y montando campamento y cavando un nuevo pozo cada trescientas leguas. Cuando se hacía de noche, repetían las mismas oraciones y pedían a la montaña que les hiciese tener buenos sueños.

Una vez más Gilgamesh despertó sobresaltado en mitad de la noche. «Enkidu, ¿me has despertado tú? ¿Me ha tocado algo?»

«No, Gilgamesh», dijo Enkidu.

Gilgamesh reflexionó un momento y dijo: «Debo de haber tenido una pesadilla, porque he soñado algo más terrible que ayer. En el sueño, una montaña enorme me hacía caer al suelo y me inmovilizaba. No podía moverme, y una luz espantosa me encandilaba y me hería los ojos. En el momento en que sentí que iba a morir, un joven se acercó y me sacó de debajo de la montaña. Me dio agua y disipó mis temores. ¿Es una mala señal?»

Enkidu dijo: «No, Gilgamesh. Creo que es un buen sueño. Esa montaña también era Humbaba, que te inmovilizaba pero no podía matarte, y el joven que te rescataba era Shamash, el dios-sol. El sueño significa que Shamash vendrá a rescatarte cuando lo necesites y que te ayudará a vencer a Humbaba.»

Las palabras de Enkidu reconfortaron a Gilgamesh, que volvió a quedarse dormido.

Y siguieron viajando y haciendo un alto para comer cada cien leguas y montando campamento y cavando un nuevo pozo cada trescientas leguas. Todas las noches repetían las mismas oraciones, pidiendo a la montaña que los recompensara con un buen sueño, y todas las noches Gilgamesh despertaba sobresaltado y aterrorizado por lo que había soñado. Una noche soñó con relámpagos y con llamas, soñó que los cielos rugían y que la tierra temblaba; la noche siguiente soñó que lo atacaba un águila feroz, y otra noche soñó que lo embestía un toro salvaje; sin embargo, todos sus sueños terminaban cuando aparecía el joven que se acercaba a ayudarlo, y todas las noches Enkidu le daba ánimos diciéndole que esos sueños eran una buena señal. Daba igual lo peligrosa y amenazadora que fuese la lucha con el monstruo; Shamash, el dios-sol, vendría siempre, como mostraban los sueños, para ayudarlos a vencer a Humbaba.

Hasta que un día por fin se aproximaron al Bosque de los Cedros. Se detuvieron en la linde del bosque y lo que vieron los desconcertó: los altos cedros señalaban el cielo y en el suelo pasaban entre ellos las huellas que en sus idas y venidas había dejado Humbaba. En el otro extremo del bosque se alzaba el Monte del Cedro, donde vivían los dioses; el monstruo era el encargado de vigilar ese bosque, un lugar sagrado.

Desde lo más hondo del bosque oyeron el temible rugido de Humbaba. A pesar de que estaba decidido a vencerlo, Gilgamesh tembló de miedo y las lágrimas comenzaron a resbalarle por las mejillas. ¿En qué había metido a Enkidu?, se preguntó. ¿Por qué no había hecho caso a su madre y a los ancianos de Uruk? Pero no tardó nada en quitarse de la cabeza esos pensamientos que lo distraían de su propósito y rezó al dios-sol Shamash. «Señor, aquí estamos en el Bosque de los Cedros. Os ruego que nos aconsejéis y nos protejáis como habéis hecho en mis sueños.»

En ese momento se oyó una voz grave y solemne que decía desde lo alto: «El monstruo Humbaba aún no ha llegado al corazón del bosque. Será mejor que ataquéis ahora, antes de que se esconda. Su aura de siete capas puede dejar ciego a cualquiera, pero en este momento sólo lleva puesta una capa porque no está asustado. ¡Atacad ya, no dejéis escapar esta oportunidad!»

Los dos amigos desenvainaron los cuchillos, cogieron el hacha por el mango y ya se disponían a entrar en el bosque cuando, de repente, un gran miedo se apoderó de Enkidu. «Querido amigo», dijo a Gilgamesh, susurrando. «Creo que no tengo valor para luchar contra el monstruo. Estoy demasiado asustado para seguir adelante. Por favor, sé tú el héroe. Yo volveré corriendo a Uruk y viviré el resto de mis días con la vergüenza de ser un cobarde.»

Gilgamesh dijo: «Eres mi mejor amigo y mi querido hermano. Te ruego que no me dejes solo en el bosque. Cuando se atan dos botes juntos, es más difícil hundirlos; cuando se trenzan tres hilos para hacer una soga, es más difícil romperlos.»

«Pero, Gilgamesh, tú no conoces a Humbaba. Cuando yo me paseaba por la jungla, de vez en cuando atiné a verlo. Tiene unos colmillos que parecen cuchillos recién afilados; su cara, manchada de sangre, es la cara de un león; se abalanza sobre sus enemigos como el torrente más raudo, y de la frente le salen unas llamas espeluznantes. Cada vez que lo veía se me helaba la sangre. De verdad, creo que no podré aguantar si me ataca.»

«Escucha, mi querido hermano y amigo», dijo Gilgamesh. «Hemos recorrido un largo camino. No permitamos que el miedo nos detenga ahora. Tú, Enkidu, te criaste en la jungla y tienes la fuerza necesaria para luchar contra leones y lobos. Eres un auténtico guerrero, y ese miedo que se ha apoderado de ti es el miedo del que duda de sí mismo. ¡Coraje, hermano mío, coraje! No dejemos que el miedo nos venza antes que nuestro enemigo.»

Así pues, los dos amigos entraron en el bosque y siguieron las huellas que llevaban a la guarida de Humbaba. El monstruo, que se había enterado de que se acercaban, estaba esperándolos. Tras soltar un rugido ensordecedor, fijó la vista en Gilgamesh. «Prepárate para morir, jovencito.»

Cuando por fin vio al horrendo monstruo, Gilgamesh se puso muy nervioso. Empalideció y le temblaban los dedos. Enkidu, al darse cuenta, se apresuró a darle ánimos: «Cuando se atan dos botes juntos, es más difícil hundirlos. Cuando trenzas tres hilos para hacer una soga, es más difícil romperlos. Tú eres un auténtico guerrero, y ese miedo que se ha apoderado de ti no es más que el miedo del que duda de

sí mismo. ¡Coraje, hermano mío, coraje! No dejemos que el miedo nos venza antes que nuestro enemigo.»

Gilgamesh recobró la compostura y los dos amigos avanzaron hacia Humbaba. El monstruo volvió a rugir y dijo: «Gilgamesh, sé cómo te llamas y sé que eres el rey de Uruk. ¿Por qué haces el ridículo desafiando las órdenes de los dioses? ¿Por qué no te has quedado en tu ciudad disfrutando de tu cómoda vida sin riesgos?» Y, volviéndose hacia Enkidu, dijo: «Y tú, Enkidu, ¿no fuiste una vez esa criatura pequeña y huérfana que merodeaba por la jungla? Te vi pastar con las gacelas y ni siquiera me molesté en ir a capturarte para después comerte. ¿Por qué has traído a este mortal a mi guarida? ¿No sabes que me basta un momento para mataros a los dos?»

Otra vez un gran miedo se apoderó de Gilgamesh, que retrocedió gimiendo: «Sí, es un monstruo espeluznante. Su cara me trae el recuerdo de mil pesadillas.»

«¡Coraje, hermano, coraje, amigo!», dijo otra vez Enkidu. «Cuando dos amigos de verdad se mantienen unidos, nada puede vencerlos. ¡Ataquemos!»

Al oír esas palabras, Gilgamesh recobró el ánimo. Sin miedo, los amigos cargaron contra el monstruo, que rugió y dio patadas en el suelo con la fuerza de un terremoto. Al ver que los jóvenes no conseguían inmovilizar al monstruo, Shamash, el dios-sol, al que habían rezado Gilgamesh y su madre, la diosa Ninsun, acudió en su ayuda. Shamash hizo soplar fuertes vientos sobre Humbaba –el viento del norte y el del sur, el viento del este y el del oeste, tormentas, tornados y huracanes– y lo retuvo para que no pudiera atacar ni retirarse. Aprovechando la oportunidad, Gilgamesh se abalanzó sobre el monstruo y le puso su afilado cuchillo en el cuello.

«Clemencia», suplicó Humbaba. «Ten piedad, Gilgamesh. Si no me matas, seré tu esclavo toda la vida.»

Gilgamesh vaciló, pero Enkidu dijo: «Rápido, amigo mío. Mátalo. No dejes que sus mentiras te confundan.»

«Enkidu», dijo Humbaba, «tú sabes que los dioses me pusieron aquí para que vigile el Bosque de los Cedros. Si me matas, mi fantasma invocará a todos los dioses para que me venguen. Y yo pediré a los dioses que te maten y cuelguen tu cadáver de estos cedros. Dile a tu amigo que se apiade de mí, y tú y él os salvaréis.»

Gilgamesh también vaciló esta vez, pero Enkidu volvió a exhortarle: «Rápido, Gilgamesh. Mata a este monstruo antes de que los dioses puedan detenernos. Ya los hemos desafiado entrando en el bosque y venciendo a Humbaba. No dejes que sus palabras te confundan. Éste es el momento en que fundas tu fama; durante generaciones la gente te recordará como el héroe que mató al monstruo Humbaba.»

Humbaba, consciente de que no podía seducir a Gilgamesh con vanas promesas ni amenazarlo con la cólera de los dioses, dijo: «Si vais a matarme, que caiga sobre vosotros dos esta maldición: Enkidu morirá y Gilgamesh sufrirá el dolor inconsolable de perder a su único amigo verdadero.»

La maldición del monstruo traspasó de tal manera el corazón de Gilgamesh que casi se le cayó el cuchillo. «No hagas caso», dijo Enkidu. «Mátalo ahora, antes de que consiga hacerte cambiar de opinión.»

Gilgamesh recuperó el control y con una sola cuchillada decapitó al monstruo. El último rugido de Humbaba partió las montañas y su sangre llenó los desfiladeros y fluyó a lo largo de tres leguas. Cuando todo volvió a estar en calma, comenzó a llover, una lluvia benefactora que se llevó la sangre y el barro de la cara y las manos de los dos luchadores.

Seis

Gilgamesh y Enkidu regresaron de su aventura y el pueblo de Uruk celebró la victoria. Los amigos se quitaron la ropa, hecha jirones tras el viaje y la lucha contra Humbaba, se bañaron y se vistieron con prendas nuevas y limpias. Gilgamesh se puso la corona y una túnica púrpura con ribetes de oro. ¡Así todos podrían admirar a un joven rey apuesto y valiente!

Entre quienes admiraban a Gilgamesh se encontraba Ishtar, la diosa del amor y los nacimientos. Ishtar era hija de Anu, el rey de todos los dioses, y de la diosa Antu. Era una diosa joven, muy consentida y acostumbrada a tener todo lo que se le antojaba. Además, tenía muchísimos amantes, pero deseaba aún muchos más, y condenaba a todos los hombres a un destino terrible cuando se cansaba de ellos.

Al ver a Gilgamesh luciendo tan hermoso traje, Ishtar dijo: «Ven, Gilgamesh, cásate conmigo. Si me haces tu esposa, te daré cosas con las que nunca has

soñado siquiera. Te daré tesoros... Mármol y alabastro, marfil y jade. Mandaré hacer para ti un carro de lapislázuli, oro y ámbar; tus criados serán los más leales y tus caballerías las más fuertes; ganarás todas las carreras y todos los reyes y príncipes del mundo se arrodillarán ante ti porque serás el rey de reyes. Si te casas conmigo, serás bendecido con riqueza y fama.»

Gilgamesh, que en los últimos tiempos se había vuelto más prudente, no se inmutó. «Ishtar, tú has tenido muchos amantes y siempre has usado las mismas dulces palabras para seducirlos. Pero ¿dónde están ahora esos hombres? Padeciendo el negro destino que dispusiste para ellos porque creyeron tus mentiras. Entonces, ¿por qué debería creerte?

Ishtar, indignada por el rechazo de Gilgamesh, fue a hablar con sus padres. «Padre, préstame al Toro Celeste. Quiero que embista a Gilgamesh y lo mate porque se niega a casarse conmigo.»

Anu, el rey de los dioses, dijo: «Pero si te presto al Toro Celeste es posible que no sólo mate a Gilgamesh, sino que también traiga siete años de hambruna al pueblo de Uruk. ¿Has pensado en eso?»

Ishtar, furiosa, contestó con una mentira: «Sí, padre, pero he almacenado cereales suficientes para el pueblo y forraje suficiente para el ganado de Uruk.»

Y Anu le permitió que llevara a Uruk el Toro Celeste. El animal resolló una vez y la tierra tembló y se secaron los pantanos y los arroyos. El toro resolló dos veces y la tierra se partió en dos y se tragó a los doscientos guerreros que se disponían a atacarlo. Y la tercera vez se abrió otra grieta en la tierra y Enkidu cayó dentro, pero como era veloz y fuerte, volvió a salir enseguida de un salto y cogió al toro por las astas para hacerle frente. La fiera le escupió en la cara y con la cola lo salpicó de estiércol de la cabeza a los pies. Gilgamesh se acercó a toda prisa. «¡No lo sueltes, Enkidu!», gritó. «Juntos podremos con él.»

Enkidu cogió al toro por la cola y lo hizo caer al suelo. Antes de que el animal pudiera levantarse, Gilgamesh, con una estocada certera y rápida, lo mató con su cuchillo. Luego, Enkidu y él le arrancaron el corazón y se lo ofrecieron a Shamash, el dios-sol. Fue ésta otra victoria importante de los dos amigos, aunque esta vez no lucharon por la fama, sino por el bienestar del pueblo de Uruk.

Ishtar, furiosa, lloró y maldijo a Gilgamesh. «Esto lo pagarás», dijo. «¡No quieres casarte conmigo y encima matas al toro de mi padre!»

Los dos amigos ignoraron a Ishtar y fueron al río a quitarse la sangre del cuerpo. La ciudad de Uruk estaba de fiesta, y sus habitantes agradecieron a

Gilgamesh y a Enkidu el haberlos salvado de la hambruna. «¿Quién es el hombre más apuesto del mundo? ¡Gilgamesh, nuestro rey!», exclamaban las muchachas en coro. «¿Quién es el hombre más valiente del mundo? ¡Enkidu, el mejor amigo de Gilgamesh!»

Siete

Esa noche, Enkidu despertó asustado. Abrió los ojos y le dijo a Gilgamesh: «Mi querido hermano y amigo, he tenido un sueño horrible. Soñé que los dioses estaban enfadados con nosotros porque hemos matado a Humbaba y al Toro Celeste. Anu, el rey de todos los dioses, decía: "Uno de vosotros debe morir."»

Al día siguiente Enkidu cayó enfermo. Pasaban los días y su cuerpo estaba cada vez más débil. Postrado en su lecho de enfermo, lloraba y lloraba, y las lágrimas humedecían la almohada. «Gilgamesh, ahora los dioses me separarán de ti. No quieren que sigamos juntos y piensan enviarme al inframundo.»

Al oír las palabras de su amigo, Gilgamesh también lloró. «Ánimo», dijo. «¿Cómo sabes que tu sueño ha sido una mala señal? Es el miedo lo que te confunde, nada más.»

Enkidu repuso: «Querido hermano, anoche volví a soñar. El cielo retumbaba, la tierra temblaba. Yo estaba solo en una llanura y un monstruo me atrapaba. Tenía cabeza de león y las alas y las garras de un águila. Luchaba para liberarme, pero en vano. Te llamaba para que vinieses a salvarme, pero no estabas ahí. Cuando esa criatura me atrapó, me arrojó al inframundo, donde viven los muertos. Al entrar vi a la reina de los infiernos... Leía una tablilla en la que estaban escritos el destino y la muerte de cada persona. No sólo de la gente corriente, sino también de los reyes, los sacerdotes y los profetas. Ningún mortal puede escapar de la muerte.»

«Es un mal sueño, pero un mal sueño también puede ser un buen augurio», dijo Gilgamesh. «Haré fabricar una estatua que sea idéntica a ti, y rezaré a todos los dioses para que te devuelvan la salud.»

«Mi querido amigo», dijo Enkidu. «No hay estatua que pueda curar mi enfermedad. Por favor, es el destino y has de aceptarlo.»

Hacia el final de su enfermedad, insomne en su lecho, Enkidu recordó los días en que era un niño sin preocupaciones que corría con las gacelas lejos de la civilización, que pastaba en el prado y bebía agua del abrevadero. Los recuerdos lo hicieron llorar, y le dijo a Shamash, el dios-sol: «Señor, vos me enviasteis a este mundo para que viviera en tierras vírgenes. ¿Por qué cambiasteis mi destino enviando al cazador que me descubrió? De no ser por él, yo aún viviría feliz entre los animales.»

Y después recordó el día en que, junto al abrevadero, conoció a una bella mujer llamada Shamhat, y la maldijo. «Shamhat, de no ser por ti, seguiría siendo ignorante, pero libre y feliz. ¿Por qué me sedujiste con el amor de una mujer para que tuviese que vivir como los demás en este mundo de los humanos?»

Shamash, el dios-sol, oyó las palabras de Enkidu y dijo: «Enkidu, ¿por qué maldices a Shamhat, que te enseñó el amor de una mujer, que te dio pan y cerveza para que comieses como un ser humano y que, por encima de todo, te presentó a Gilgamesh, tu mejor amigo, tu hermano? En aquellas tierras podrías haber vivido cien años, pero solo como un animal, comiendo, bebiendo y corriendo, sin un amigo de verdad; en esta vida, donde ahora te postran la enfermedad y la tristeza, te han recibido también con amor y amistad.»

Las sabias palabras de Shamash sosegaron a Enkidu, aunque su enfermedad empeoró. Durante doce largos días sufrió en su lecho de enfermo hasta que al final perdió la vista. «Querido Gilgamesh», dijo el último día de su vida. «¿Me has abandonado? Ven y ayúdame ahora que no puedo verte. Creía que, siendo hermanos y amigos, éramos inseparables. ¿Qué se ha aliado contra nosotros? ¿Qué es lo que me separa de ti?»

Gilgamesh le cogió la mano y lloró. A pesar de su fuerza y su poder, no podía evitar que llegase la muerte. Y pronto Enkidu exhaló el último suspiro y fue un muerto más en el inframundo.

Ocho

Gilgamesh lloró. Lloró por la pérdida de Enkidu, su amigo y hermano, y lloró por la vida que habían compartido: las aventuras, las victorias, las dudas que de vez en cuando los habían asaltado pero que mutuamente habían disipado, y el sueño de una larga amistad.

Cuando amaneció, Gilgamesh ordenó que se erigiera una estatua en honor de Enkidu. «Haced la mejor estatua que los hombres jamás han imaginado», dijo a los artesanos –orfebres, plateros, herreros, escultores, talladores de piedras preciosas–. «Y que la estatua sea mi compañía mientras yo viva.»

Luego, Gilgamesh abrió su tesoro y sacó armas y herramientas muy valiosas, con empuñaduras hechas de oro y marfil e incrustaciones de piedras preciosas; después eligió los mejores bueyes y ovejas y los sacrificó. Y ésa fue la ofrenda que hizo a los dioses del inframundo, para que trataran bien a Enkidu, su mejor amigo.

Después Gilgamesh ofreció a los dioses muchas de sus posesiones; llegó incluso a ofrecer regalos a las doncellas y los criados de los dioses. «Oíd, todos», rezó Gilgamesh; «os ruego que aceptéis todo lo que puedo ofrecer, cualquier cosa que pueda ofrecer. Lo único que os pido es que cuidéis de Enkidu, mi hermano, mi amigo más querido, para que no esté triste y solo en el más allá.»

Sin embargo, ni la estatua ni las oraciones ni las ofrendas libraron a Gilgamesh del insoportable dolor que le provocaba la pérdida de su amigo. Recordó el sueño de la roca que caía del cielo y la primera vez que vio a Enkidu, y cómo habían llegado a quererse antes de que terminara la pelea. Los recuerdos inundaron su corazón: el largo viaje con Enkidu al Bosque de los Cedros, donde su amigo lo animaba todas las noches cada vez que él despertaba sobresaltado de una pesadilla; el heroico combate contra Humbaba, cuando Enkidu, con su voluntad de hierro, no permitió que el monstruo intimidase a Gilgamesh; el día que mataron al Toro Celeste, salvando así a Uruk y sus habitantes... Y ahí no terminaban los recuerdos: los festines, las conversaciones, los cantos, el sueño de una larga vida compartida por los dos queridos amigos.

Gilgamesh, sin nada ni nadie que pudiera consolarlo, exclamó: «Querido Enkidu, ¿qué sueño es ese del que ya nunca despertarás?¿Qué es lo que nos separa y cómo puedo hacer para traerte de vuelta aquí desde el otro lado de la vida?»

Gilgamesh lloró a Enkidu seis días y siete noches; el dolor por la pérdida de su amigo y hermano lo atormentaba. Durante seis días y siete noches fue incapaz de enterrarlo; esperaba que su dolor conmoviera a los dioses y éstos devolvieran la vida a Enkidu.

El séptimo día, Gilgamesh supo que Enkidu no despertaría nunca del sueño eterno. Era un sentimiento que el joven rey nunca había experimentado —distinto del miedo que había sentido cuando se enfrentó a Humbaba, distinto también de la ira que había sentido cuando luchó con el Toro Celeste—; le dolía el corazón como si se lo apretara un par de crueles tenazas. Enkidu y él habían sido los más fuertes y más valientes de todos los tiempos, pero ni la fuerza ni la amistad habían evitado que la muerte se llevara a su amigo y hermano. ¿Qué sentido tienen, se preguntó Gilgamesh, la fama, la riqueza y la felicidad si todos hemos de morir?

Gilgamesh abandonó la ciudad de Uruk y se dedicó a vagar por la jungla intentando encontrar una respuesta a su pregunta más apremiante: ¿quién, entre todos los mortales, puede desafiar a la muerte? Y de repente recordó la vieja historia de Utnapishtim, el único hombre al que los dioses habían concedido la inmortalidad. Y la historia decía:

Había una vez cinco grandes dioses que se

reunieron y decidieron enviar a la tierra un diluvio
que destruyera a la humanidad. ¿Por qué? Porque los
dioses no estaban contentos con ciertos miembros de
esa humanidad. Cuando elaboraron su plan secreto,
un dios, Ea, comprensivo con los humanos, a través
del seto de una casa hecha con juncos dijo por lo bajo
a Utnapishtim, el rey de una ciudad llamada
Shuruppak, que construyera una nave cuadrada para
salvar a los seres humanos y a otras criaturas vivientes.
Utnapishtim abandonó su palacio y construyó una
nave cuadrada que medía sesenta metros de altura y
tenía una cubierta de casi media hectárea de
superficie, e hizo subir a bordo a su pueblo y a todas
las especies de animales, tanto salvajes como
domésticos. Utnapishtim cerró la escotilla justo
antes de que los dioses lanzaran el Gran Diluvio.
Durante seis días y siete noches no dejó de llover, y
unos nubarrones negros oscurecieron la tierra;
cuando los relámpagos iluminaban brevemente el
cielo, lo único que se podía ver eran las personas y los
animales que se había tragado la despiadada lluvia.
Las ciudades se derrumbaron; el agua arrancó los
árboles de cuajo y arrastró a su paso todas las cosas
vivientes. El mundo se convirtió en un lugar muerto.
Fue algo tan triste de ver que los dioses mismos se
echaron a llorar. Entre ellos estaba Aruru, la diosa
que había creado a los seres humanos moldeándolos

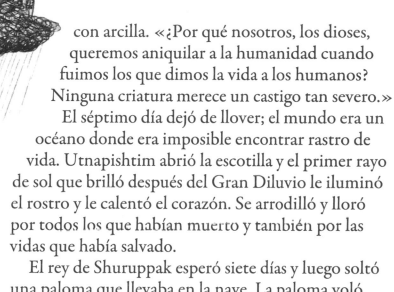

con arcilla. «¿Por qué nosotros, los dioses, queremos aniquilar a la humanidad cuando fuimos los que dimos la vida a los humanos? Ninguna criatura merece un castigo tan severo.»

El séptimo día dejó de llover; el mundo era un océano donde era imposible encontrar rastro de vida. Utnapishtim abrió la escotilla y el primer rayo de sol que brilló después del Gran Diluvio le iluminó el rostro y le calentó el corazón. Se arrodilló y lloró por todos los que habían muerto y también por las vidas que había salvado.

El rey de Shuruppak esperó siete días y luego soltó una paloma que llevaba en la nave. La paloma voló trazando círculos en el cielo, pero no pudo encontrar un lugar seco donde posarse y regresó con Utnapishtim, que decidió esperar más tiempo, hasta que consideró oportuno soltar una golondrina. La golondrina también voló trazando círculos en el cielo, pero como tampoco pudo encontrar un lugar seco donde posarse, decidió volver a la nave.

Utnapishtim esperó unos días más y soltó un cuervo. Al ver que el cuervo no regresaba, supo que las aguas se habían retirado y dejó bajar de su nave a todos los humanos y los animales.

Entonces los dioses supieron que no habían destruido a la humanidad.

Dieron las gracias a Utnapishtim y le dijeron que, a partir de ese día, él y su mujer serían inmortales y vivirían entre los dioses.

Cuando Gilgamesh recordó la historia de Utnapishtim, decidió dejarlo todo para ir en su búsqueda y preguntarle cómo podía desafiar a la muerte.

Nueve

Gilgamesh emprendió otro largo viaje, ahora sin su amigo Enkidu. Viajó hacia el este hasta que llegó a las Montañas Gemelas, donde había un túnel que el sol atravesaba todos los días dos veces, una a la hora de salir y otra a la hora de ponerse. Una pareja de escorpiones vigilaba el túnel.

Gilgamesh se acercó a ellos y dijo: «Soy Gilgamesh, el rey de Uruk, y he venido a buscar a Utnapishtim. Quiero preguntarle cuál es el secreto de la inmortalidad.»

«Eso es imposible», dijo el escorpión. «Dentro del túnel no se ve nada, y ningún hombre lo ha atravesado nunca.»

Pero el escorpión hembra se compadeció de Gilgamesh. «Mira a este hombre. Ha sufrido mucho para llegar hasta aquí; el sol del desierto le ha quemado el rostro y la escarcha le ha helado los pies. Tiene las mejillas huecas y la mirada triste. Hagamos una excepción e indiquémosle el camino que lleva hasta Utnapishtim.»

El escorpión macho condujo a Gilgamesh hasta la entrada del túnel. «Oscuro como boca de lobo, y sólo

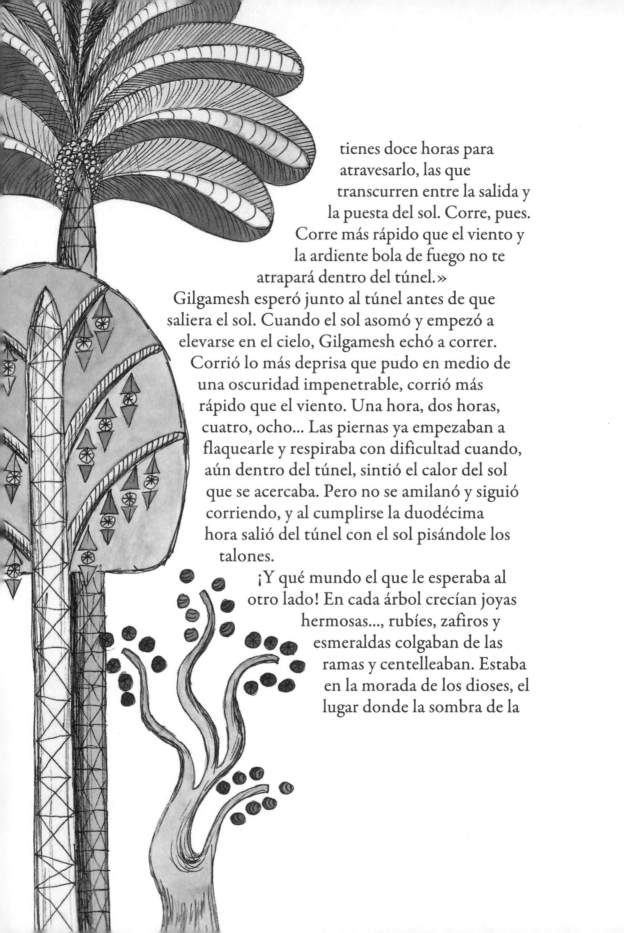

tienes doce horas para
atravesarlo, las que
transcurren entre la salida y
la puesta del sol. Corre, pues.
Corre más rápido que el viento y
la ardiente bola de fuego no te
atrapará dentro del túnel.»

Gilgamesh esperó junto al túnel antes de que
saliera el sol. Cuando el sol asomó y empezó a
elevarse en el cielo, Gilgamesh echó a correr.
Corrió lo más deprisa que pudo en medio de
una oscuridad impenetrable, corrió más
rápido que el viento. Una hora, dos horas,
cuatro, ocho... Las piernas ya empezaban a
flaquearle y respiraba con dificultad cuando,
aún dentro del túnel, sintió el calor del sol
que se acercaba. Pero no se amilanó y siguió
corriendo, y al cumplirse la duodécima
hora salió del túnel con el sol pisándole los
talones.

¡Y qué mundo el que le esperaba al
otro lado! En cada árbol crecían joyas
hermosas..., rubíes, zafiros y
esmeraldas colgaban de las
ramas y centelleaban. Estaba
en la morada de los dioses, el
lugar donde la sombra de la

muerte nunca preocupaba a nadie y donde ningún corazón se sentía vacío o apenado.

Gilgamesh siguió viajando hasta llegar al océano. Allí, en la orilla, había una taberna cuya dueña era una mujer llamada Shiduri. Cuando Shiduri vio que Gilgamesh se acercaba, el miedo le oprimió el corazón y cerró la puerta con llave y se subió al terrado.

«¿Por qué huyes de mí?», preguntó Gilgamesh.

«¿Quién eres? ¿Por qué el miedo se apodera de mí cuando te veo?»

«Soy Gilgamesh, el rey de Uruk. Soy el hombre que, con ayuda de mi hermano y amigo Enkidu, mató a Humbaba y al Toro Celeste.»

Shiduri, incrédula, miró a Gilgamesh. «El sol del desierto te ha quemado el rostro; la escarcha te ha helado los pies. Si, como dices, eres un héroe, ¿por qué te empaña los ojos una tristeza inconsolable? ¿Qué es ese dolor que llevas en el corazón? ¿Qué te ha abatido?»

Gilgamesh dijo: «Enkidu, mi querido hermano y amigo, el que me acompañó en todos mis viajes y aventuras, no pudo hacer nada contra el destino que nos espera a todos los humanos y ahora está en el

inframundo. Ni mi amor ni mi dolor pueden devolvérmelo.»

«Eres un tonto, Gilgamesh», dijo Shiduri. «Cuando los dioses crearon al hombre, también crearon la muerte. Toda historia tiene un comienzo y un final. ¿Por qué intentas desafiar un orden que nadie puede cambiar? Vuelve a Uruk. Quiere a tu pueblo y celebra tu corta estancia en la tierra antes de que te llegue la hora del sueño eterno. Sólo así se puede vivir feliz.»

«No te creo», dijo Gilgamesh. «Hay un hombre que ha escapado de la muerte y debo encontrarlo para preguntarle por el secreto de la inmortalidad.»

Shiduri suspiró. «Utnapishtim vive en la otra orilla, pero en el centro del océano toparás con las aguas de la muerte; nadie las ha atravesado jamás. Ahora ve a buscar a Urshanabi, el barquero que puede ayudarte a cruzar el océano.»

Gilgamesh caminó hasta la orilla y vio una barca, pero no pudo encontrar a Urshanabi en ninguna parte. En la barca vio toda una tripulación hecha de hombres de piedra. Frustrado, hizo pedazos a todos los hombres de piedra con el hacha y justo en ese momento apareció Urshanabi.

«¿Quién eres?», preguntó.
«¿Por qué destruyes mis hombres de piedra?»

«Soy Gilgamesh, el rey de Uruk. He venido en busca de Utnapishtim porque quiero conocer el secreto de la inmortalidad.»

Urshanabi suspiró. «Jovencito, ni siquiera sabes controlar tu carácter», dijo el barquero. «Los hombres de piedra que acabas de destruir eran los únicos que podían ayudarte a llegar a la otra orilla de este océano, son los únicos inmunes a las aguas de la muerte.»

Gilgamesh se avergonzó. «¿Hay otra manera? Haré cualquier cosa con tal de atravesar este océano.»

Y Urshanabi le dijo a Gilgamesh que talara trescientos árboles y con ellos hiciera unas pértigas. Cada pértiga debía medir treinta metros de largo, no tener asperezas y estar limpia de todas las ramas y cortezas. Sin decir una palabra, Gilgamesh se adentró en el bosque e hizo lo que le había dicho Urshanabi; luego subió a la barca con él para cruzar el océano.

Navegaron tres días sin parar hasta que por fin llegaron a las aguas de la muerte. Urshanabi le dijo a Gilgamesh que empujara la barca hacia delante con una pértiga, y que después, cuando la primera desapareciese en el agua cuan larga era, cogiese otra y siguiese empujando. «Ten cuidado. No dejes que te toquen las aguas de la muerte.»

Gilgamesh siguió empujando pértiga tras pértiga. Cuando terminó de usar la última, el barquero y él llegaron a la costa, donde Utnapishtim, el único hombre que había escapado de la muerte, contemplaba su llegada.

«Es la primera vez que un mortal llega a esta orilla», dijo el anciano Utnapishtim. «¿Quién sois?»

«Soy Gilgamesh, el rey de Uruk. Soy el hombre que, con la ayuda de mi hermano y amigo Enkidu, mató a Humbaba y al Toro Celeste.»

Utnapishtim, incrédulo, miró a Gilgamesh. «El sol del desierto te ha quemado el rostro; la escarcha te ha helado los pies. Si, como dices, eres un héroe, ¿por qué te empaña los ojos una tristeza inconsolable? ¿Qué es ese dolor que llevas en el corazón? ¿Qué te ha abatido?»

Gilgamesh dijo: «Enkidu, mi querido hermano y amigo, el que me acompañó en todos mis viajes y aventuras, no pudo hacer nada contra el destino que nos espera a todos los humanos y ahora está en el inframundo. Ni mi amor ni mi dolor pueden devolvérmelo. Ojalá mi cuerpo fuese como tu nave, y ojalá pudieseis cerrar la escotilla cuando yo entrase. Así dejaría de sufrir por la pérdida de Enkidu.»

«Sois un joven poco sensato», dijo Utnapishtim.

«¿Por qué os dejáis abatir sufriendo por algo que no podéis cambiar? Pensad en lo afortunado que sois. Nacisteis tocado por el poder y la fuerza y los dioses os han dado una ciudad para que la gobernéis. Os habéis labrado una reputación y la gente os admira. ¿Por qué os regodeáis en el dolor cuando deberíais estar disfrutando de la vida todos los días? Sé que habéis perdido a vuestro hermano Enkidu, vuestro mejor amigo. Pero la muerte no ha de ser una sorpresa para ningún mortal. Cuando uno está cansado, se va a dormir, y al día siguiente despierta para vivir un nuevo día... Y así hasta que un día dormimos el sueño eterno, un sueño más profundo, del que nunca despertamos. Pero no hay que tener miedo del sueño eterno porque, cuando llegue ese momento, sólo encontraremos descanso y paz.»

Decepcionado, Gilgamesh miró fijamente al anciano. «Creía que seríais como un dios, pero en cambio sólo veo a un viejo y decís las mismas cosas que todo el mundo no hace más que repetirme. No puedo luchar con vos porque sois viejo y débil y yo soy joven y fuerte. Pero dejadme que os haga una pregunta. ¿Cómo conseguisteis ser inmortal? ¿Por qué no puedo hacer yo lo mismo que habéis hecho vos?»

Utnapishtim suspiró y le contó, con todo lujo de detalles, la historia del Gran Diluvio que Gilgamesh ya conocía. «Cuando salvé a la humanidad, los dioses nos recompensaron, a mi esposa y a mí, con la inmortalidad. Pero ¿somos más felices que cuando éramos humanos? Creo que no», dijo el anciano. «Gilgamesh, habéis dicho que queríais alcanzar la inmortalidad. Os someteré a una prueba. Manteneos despierto siete días enteros y veréis si sois capaz de vencer al sueño.»

Gilgamesh se sentó junto a un muro, resuelto a mantenerse despierto, pero pronto el agotamiento del viaje pudo con él y se quedó profundamente dormido.

Utnapishtim le dijo a su mujer: «Mira a ese joven. Quiere vivir para siempre pero ni siquiera es capaz de luchar contra el sueño. Ahora ponte a hornear una hogaza de pan todos los días, para que cuando despierte no pueda negar cuánto tiempo ha dormido.»

Al séptimo día Utnapishtim tocó a Gilgamesh en el hombro y el joven rey abrió los ojos. «Ah, sí», dijo Gilgamesh. «He estado despierto siete días y estaba a punto de quedarme dormido cuando me habéis tocado en el hombro. Decidme, ¿he superado la prueba?»

El anciano rió y le enseñó las siete hogazas que había horneado su mujer; la que había horneado el primer día estaba dura y florecida; la preparada el séptimo día fresca y blanda.

«Gilgamesh, eres incapaz de vencer al sueño. ¿Cómo esperas vencer a la muerte? ¿Por qué no regresas por donde has venido y vives feliz antes de que el sueño eterno venga a saludarte?»

Gilgamesh, destrozado, dijo: «¿Y ahora qué hago? Si soy incapaz de vencer al sueño, ¿cómo puedo liberarme del miedo a la muerte?»

La mujer de Utnapishtim se compadeció de Gilgamesh y salió en su defensa, tras lo cual Utnapishtim dijo: «Gilgamesh, puesto que has hecho un largo viaje para llegar hasta aquí, te contaré un secreto. Pídele a mi barquero que te lleve a las aguas del Gran Abismo. Allí, bajo el agua, crece un arbusto espinoso. Si lo encuentras, poseerás el secreto de la eterna juventud. No es lo mismo que la inmortalidad, pero al menos nunca serás viejo.»

Gilgamesh, eufórico, viajó hasta el lugar que le había indicado Utnapishtim y, tal como éste le había dicho, arrancó el arbusto espinoso del fondo del mar. Al tocar las espinas, los dedos comenzaron a sangrarle, pero no le importó. «Mira esta planta», dijo. «Ahora regresaré a Uruk con ella y buscaré a un hombre viejo para probarla. Si, después de comer una hoja, vuelve a ser joven, entonces me comeré todo el arbusto y así recuperaré mi juventud despreocupada, los días en que el miedo a la muerte y el dolor que ocasiona la pérdida aún no afligían mi corazón.»

Con este plan en mente, Gilgamesh emprendió el regreso a Uruk. Al anochecer encontró un estanque de agua fresca y dejó la planta junto al agua mientras él tomaba un baño. Una serpiente, atraída por el aroma de la planta, se acercó reptando y, antes de que

Gilgamesh pudiera reaccionar, la devoró al tiempo que mudaba una vieja capa de piel y después se alejaba muy contenta.

Gilgamesh se sentó junto al agua y lloró. «Tantas penurias para nada», dijo. «¿Qué querrá decir? No puedo vencer a la muerte, pero ¿por qué tampoco puedo conservar la juventud? ¿Por qué un reptil me ha robado mi última esperanza?»

Epílogo

Una vez pasados los momentos de desesperación, Gilgamesh se puso a pensar. Durante el viaje de regreso a Uruk, pasó los días sumido en profundos pensamientos. Cuando llegó a su ciudad, y para sorpresa de los habitantes, ya no era el joven rey de genio vivo y rostro arrogante. Antes bien, tenía el aspecto de un hombre maduro, con una serena sabiduría en la mirada y firmeza en el cuerpo.

Volvió a ocupar el trono del rey de Uruk; reconstruyó templos; reforzó las murallas de la ciudad y trató a su pueblo con amor y justicia. Convirtió Uruk en una de las ciudades más confortables del mundo, y cuando consiguió todo lo que se había propuesto, se sentó a escribir sus aventuras en doce tablillas de lapislázuli. Contó la historia de su juventud sin ocultar todo el mal que le había hecho a su pueblo; contó también sus aventuras con Enkidu y, mientras lo hacía, sonreía entre lágrimas porque los recuerdos volvieron a reconfortarle el corazón. Contó todo lo que había sufrido por la pérdida de Enkidu, y también habló de su miedo a la muerte. Y escribió sobre la búsqueda de la inmortalidad y de la eterna juventud, una búsqueda que no le había traído lo que buscaba, pero que le había dado algo mejor: la sabiduría que había adquirido de esas experiencias y la que compartía en esas tablillas, escritas para que todo el mundo las leyese.

Así pues, mi querido lector, mi querida lectora, ésta es la historia de Gilgamesh, una historia que nunca envejece porque es también la de tus abuelos y la de tus padres, la de tus tías y tíos, e incluso la de tu profesor preferido. Un día, cuando hayas crecido lo suficiente, ¿me harás el favor de contársela a tus hijos?

Este libro está dedicado a Vincent y James,
hermanos y amigos

DE DÓNDE PROCEDE
ESTA HISTORIA

En la vida hay preguntas que, una vez respondidas, se reservan como conocimiento útil. Por ejemplo: ¿cuál es el órgano que hace circular la sangre por todo el cuerpo?; ¿cuál es el órgano que sirve para digerir la comida?, ¿y cuál el que sirve para pensar y sentir? Luego vienen las preguntas que nos hacemos en distintas etapas de la vida, aun cuando las respuestas parecen no satisfacernos nunca. Cuando yo era pequeña, me intrigaba, como a todo el mundo, la cuestión de la muerte. ¿Seguiremos sabiendo, después de morir, lo que ocurre en el mundo? ¿Qué parte de nosotros estará dormida y cuál se mantendrá despierta para ver, oír y sentir? Ahora la misma pregunta intriga a mis hijos y, sin embargo, como madre, no creo que haya encontrado una respuesta satisfactoria, ni siquiera para mí misma, y mucho menos para consolar o iluminar a mis hijos.

La *Epopeya de Gilgamesh*, un poema épico compuesto entre los años 1300 y 1100 antes de la era cristiana, se escribió en doce tablillas y es una de las obras literarias más antiguas que se conocen. Se descubrió en el siglo XIX, y desde entonces generaciones enteras de estudiosos y traductores han trabajado para entenderla, para comprender su historia y sus varias ediciones.

Toda gran historia es grande no sólo porque trata de sus héroes, sino también porque trata sobre nosotros, y por esa razón la historia de Gilgamesh, si bien tuvo lugar hace cuatro mil años, no se diferencia de la nuestra. Gilgamesh quiere a su familia y sueña con aventuras. Cuando conoce a Enkidu, un verdadero amigo, un compañero del alma, lo quiere y lo incluye en todos sus sueños. Cuando Enkidu muere, el dolor de Gilgamesh es un reflejo del que sentimos nosotros cuando perdemos a un ser querido. Lo que más intriga a Gilgamesh, en su viaje desde hombre joven hasta pensador sensato y maduro, es la pregunta por la muerte. ¿Se parece la muerte a un sueño que, por más largo que sea, aún permite albergar la esperanza de que llegará un momento en que despertaremos y nos encontraremos tal como éramos antes de dormirnos, o se parece, como la descripción del inframundo que contiene el poema, a un lugar donde el pasado de poco nos consuela y el futuro no existe?

La búsqueda de la ansiada inmortalidad no le da a Gilgamesh muchos frutos, aunque su viaje para encontrar el secreto de la vida eterna, el secreto que debía transmitirle Utnapishtim, lo hace crecer y lo convierte en un hombre sabio. El mismo viaje lo han repetido generaciones enteras de hombres y mujeres, es una búsqueda que cada uno de nosotros tiene que emprender antes de confiar en la sabiduría y las enseñanzas ajenas. Y por eso la historia de Gilgamesh nunca morirá, ya que la leerán generaciones enteras de lectores, jóvenes y viejos.

Lo que más me interesa de esta historia es la amistad de Gilgamesh y Enkidu. Los amigos ocupan un lugar muy especial en nuestra vida: el lazo que nos une a ellos no es un lazo de sangre, como el que une a los miembros de una familia, y tampoco requiere votos como los que se hacen al contraer matrimonio. Sin embargo, la verdadera amistad también se les parece mucho, pues, como dijo Gilgamesh, un verdadero amigo es un compañero del alma.

Y. L.

Yiyun Li fue incluida en la lista del *New Yorker* de los veinte mejores escritores menores de cuarenta años de los Estados Unidos. Traducida a más de veinte lenguas, ha recibido numerosos premios, entre ellos el Guardian First Book Award. En las narraciones de esta escritora a todos los efectos americana, aparece sin embargo el trasfondo de su país de origen, China, con sus contradicciones.

Marco lorenzetti nació en la región de Las Marcas. Ama dibujar desde que era un niño y en la escuela sus materias preferidas eran el arte, la historia y la mitología. En 2010 se diplomó en Macerata en el Master Ars in Fabula dedicado a la ilustración y la edición. Para ⬤ ha ilustrado ya *La historia de Los Novios* explicada por Umberto Eco. Vive y trabaja en Ancona.

Save the Story es una chalupa que pone a salvo, en nuestro milenio, algo que está naufragando en el pasado. Los objetos que, como este libro, llevan el símbolo ⬤ son una especie en vías de extinción.

La Scuola Holden nació en Turín en 1994, con la idea de ser distinta a las demás. Se parece a una casa donde nunca faltan espacio, libros y café. Allí se estudia una cosa que se llama *storytelling*, es decir, el secreto de contar historias en cualquier lenguaje posible: libros, cine, televisión, teatro, cómic. Todo ello con unos resultados exagerados.

La Biblioteca di Repubblica-L'Espresso es una viva miscelánea, rica y colorida, que lleva ya años asomándose semana tras semana a las casas de muchísimos italianos. Cientos y cientos de novelas, relatos, ensayos y poesías han dado vida a otras tantas colecciones que han poblado felizmente las estanterías de casas viejas y nuevas.

Esta colección está dedicada a Achille, Aglaia, Arturo, Clara, Kostas, Olivia, Pietro, Samuele, Sandra, Sebastiano y Sofia

6

La historia de **Gilgamesh**
explicada por **Yiyun Li**

Próximamente

7

La historia de **Antígona**
explicada por **Ali Smith**

8

La historia de **Gulliver**
explicada por **Jonathan Coe**